Mathieu Pierloot

# L'amour, c'est n'importe quoi!

Neuf
*l'école des loisirs*
11, rue de Sèvres, Paris 6e

© 2014, l'école des loisirs, Paris
Loi n° 49.956 du 16 juillet 1949 sur les publications
destinées à la jeunesse : septembre 2014
Dépôt légal : septembre 2014
Imprimé en France par Hérissey à Évreux (Eure)
N° d'impression : 122932

ISBN 978-2-211-21843-6

*À Camille, bien entendu…*

# 1

*Rupture et terre battue*

— Je te l'ai déjà expliqué un millier de fois, Sacha !

— Je ne comprends rien ! me suis-je écrié. Tu peux encore me le répéter jusqu'à la fin de ta vie, je n'y comprendrai jamais rien !

Ma mère et moi étions dans la cuisine. Elle me regardait en secouant la tête. J'étais nul en maths, il allait bien falloir qu'elle l'accepte un jour.

Avant de perdre son boulot, il y a six mois, maman était comptable. Elle aime les chiffres d'un amour passionnel. En revanche, elle a toujours détesté m'aider à faire mes devoirs. Elle dit que c'est comme rapporter du travail à la maison. Le genre de sale travail qui vous gâche la soirée.

Heureusement pour moi, la porte d'entrée a claqué. On a vu passer Lucie dans le couloir. Elle a jeté son sac dans le salon, puis elle a couru s'enfermer dans sa chambre.

Maman a levé les yeux au ciel. Elle a pris dix secondes pour évaluer la situation et elle m'a dit :

– Je vais voir ce qui se passe avec ta sœur mais je te garantis que tu ne sortiras pas de cette maison sans avoir résolu ces équations !

Je me suis retrouvé tout seul à la table de la cuisine et, comme d'habitude dans ces cas-là, j'en ai profité pour appeler Juliette.

– Qui c'est ? a-t-elle aboyé après deux sonneries.

– C'est le bureau des Débiles. On voudrait vous nommer Président-Directeur Général.

– Je dois refuser, m'a annoncé Juliette avec regret. Mais je connais quelqu'un de bien plus qualifié pour le poste.

– Qu'est-ce que tu fais ? ai-je demandé.

– Rien. Je regarde la télé. Il y a un gros type

qui peut gagner cinq mille euros s'il accepte d'avaler une araignée vivante.

Mes parents refusaient qu'on ait la télévision. Du coup, je ne savais jamais si elle se moquait de moi ou pas.

— Tu peux me filer les réponses du devoir de maths ? Ma mère ne me lâche pas…

— Tu notes ? 25, 4 x, y 12 et la dernière est impossible. Je ne t'explique pas pourquoi parce que je sais que tu t'en fous.

— Merci ! Tu es la meilleure !

— Meilleure que toi en maths ? C'est pas très compliqué.

— Ta mère est rentrée ?

— Pas encore. Demain, je pense…

— Je dois te laisser. À demain, grosse tête.

— À demain, gros nul.


On a mangé tous les trois, papa, maman et moi, tandis que Lucie pleurait dans sa chambre. «Arthur lui a dit que c'était fini» était la seule explication que maman avait bien voulu nous donner. Après ça, elle s'était lancée dans la préparation d'une sorte de hachis parmentier dont elle avait exclu un à un les trois quarts des ingrédients parce qu'elle ne se rappelait plus la recette. Le résultat était un mélange de viande hachée et de patates surmonté de tomates en cubes.

— Je ne sais pas ce qui me retient d'aller casser la figure à ce garçon, a dit papa en cherchant avec sa fourchette un truc comestible dans son assiette.

J'ai croisé le regard de maman, qui m'a fait les gros yeux.

Il faut savoir que mon père, c'est un mètre soixante-dix pour soixante kilos. Il est aussi impressionnant qu'une tortue d'aquarium qui aurait eu des cheveux un jour mais qui les aurait tous perdus. Il porte une moustache, à laquelle il accorde un soin jaloux alors qu'il ferait mieux de nettoyer de temps en temps les immenses verres de ses immenses lunettes.

— Ne sois pas ridicule, Jean, a répondu ma mère. Ce n'est qu'un chagrin d'amour. Elle en aura d'autres…

— Je n'aime pas voir ma fille souffrir, c'est tout.

— Mais c'est normal qu'elle souffre, elle a seize ans, bon sang !

Elle a posé son menton dans sa main avec un air béat.

— Je me souviens quand j'avais son âge, j'en pinçais pour un beau moniteur de voile. C'était l'été, à Biarritz. Dieu qu'il était beau... À la fin des vacances, il a embrassé ma copine Bernadette, ça m'a littéralement brisé le cœur.

— Oui, bon, ça va, a dit mon père, agacé, moi aussi j'ai eu des chagrins d'amour. Cette petite qui vivait en face de chez mes parents. Évelyne... Elle venait me voir tous les jours à la sortie du lycée. Et puis un jour, sans crier gare, toute la famille a déménagé dans le Nord. Je ne l'ai plus jamais revue...

— Tu vois ! a fait maman, triomphale. Si Évelyne n'avait pas déménagé et si mon beau moniteur n'avait pas embrassé ma copine, on ne se serait peut-être jamais rencontrés et on serait passés à côté de tout ça !

Elle a fait un geste de la main qui englobait notre cuisine, son carrelage jauni, le papier peint défraîchi de la salle à manger et moi.

Tout ça.

J'ai laissé mes parents se bécoter en se racontant la chance immense qu'ils avaient eue de se rencontrer, de tomber amoureux et de faire deux beaux enfants en pleine santé dans une maison merveilleuse, et je suis allé voir ma sœur.

J'ai frappé trois coups à la porte, assez fort pour que Lucie m'entende malgré la musique à fond, et je suis entré sans attendre la réponse.

Elle n'a pas crié, elle ne m'a pas hurlé de dégager, elle n'a pas appelé maman pour me traiter de tous les noms. Elle m'a regardé, pelotonnée sous sa couette, les yeux rougis, la truffe humide. Elle serrait un vieux mouchoir chiffonné dans sa main.

— Qu'est-ce que tu fais là ?

— Je viens voir ta sale tronche.

— Merci et au revoir.

— Pourquoi tu pleures pour ce type ? C'est un crétin !

Et je pèse mes mots…

Arthur est le genre de mec qui s'aime passionnément. On a l'impression qu'il vit sa vie pour pouvoir la raconter. Un abruti qui porte des lunettes de soleil par moins quinze et arbore un bronzage tellement parfait qu'on dirait qu'il s'est littéralement roulé tout nu dans la terre battue.

— Laisse-moi tranquille, Sacha, a répondu ma sœur en enfouissant sa tête sous sa couette.

— Papa a dit qu'il voulait, je cite, « lui casser la figure »…

Son visage est réapparu. Elle souriait. Moi aussi. Pas moyen de faire autrement en imaginant mon père en train d'attendre Arthur à la sortie du lycée pour lui dire sa « façon de penser ».

— Je voudrais dormir…

— D'accord, ai-je répondu.

Je suis resté là quelques secondes, sans bouger. Et puis je suis sorti en refermant tout doucement la porte derrière moi.

## 2
### *Les grandes théories*

Le lendemain matin, j'ai retrouvé Juliette à l'arrêt de bus. Malgré le froid polaire, elle ne portait ni gants ni écharpe, juste un improbable bonnet jaune poussin planté sur sa tignasse emmêlée. Son blouson, d'un gris douteux, était ouvert sur un T-shirt constellé de taches de chocolat. C'était son style vestimentaire. Un mélange de « tant que j'ai bien chaud, c'est bon » et de « j'ai pris le premier truc qui traînait par terre ».

J'ai rencontré Juliette le jour de la rentrée des classes, en maternelle. Elle portait un costume de pirate trop grand, des chaussettes dépareillées (une rouge, une jaune) et des mitaines en laine rose.

— Elle a insisté pour choisir ses vêtements, avait bredouillé sa mère devant le regard accusateur des autres parents.

— L'autonomie, il n'y a que ça de vrai, avait répondu papa en lui faisant un clin d'œil.

Elle avait souri, soulagée de trouver un allié au milieu de toute cette hostilité. On dit que les enfants sont cruels mais, très souvent, leurs parents ne valent pas mieux…

— Tu es tout seul ? m'a demandé Juliette, suspicieuse.

— Lucie est malade, ai-je menti.

— Cinoche ! s'est-elle exclamée.

Entre elle et Lucie, ce n'était pas le grand amour.

Elle trouvait ma sœur stupide et superficielle. Quant à Lucie, elle prétendait que Juliette était complètement givrée. Je dois reconnaître que ni l'une ni l'autre n'avait tout à fait tort.

— OK, j'avoue. Arthur l'a plaquée.

— Le nabot qui ressemble à une carotte trop cuite ?

— Lui-même. Elle pleure sans arrêt depuis hier soir.

— Un bon conseil, mec : ne tombe jamais amoureux. Ça rend complètement débile.

— Pourquoi tu me dis ça ? ai-je demandé alors qu'on montait dans le bus.

— Parce que tu es typiquement le genre de personne à tomber amoureux et à devenir complètement débile, a rétorqué Juliette sur un ton définitif.

Le monde selon Juliette est divisé en deux catégories de gens : les débiles et les complètement débiles. Elle a des théories sur tout, dont elle me rebat les oreilles en permanence. Ces théories forment un ensemble, une sorte de système, qu'elle appelle « Le Grand Merdier » et dans lequel nous autres, pauvres mortels, baignons, confits dans notre ignorance et notre bêtise.

— Je suis déjà tombé amoureux, ai-je rétorqué. Plusieurs fois !

— Tu n'es jamais tombé amoureux de personne, Sacha, crois-moi…

– Ah oui ? Et Cécilia en CM1 ? Et Héloïse en CE2 ?

– Des trucs de môme… Je te parle de craquer vraiment sur quelqu'un, de l'avoir dans la peau, de s'endormir en voyant son visage. L'amour, Sacha, L'AMOUR !

Tous les passagers du bus nous regardaient. Trois petites vieilles fronçaient les sourcils avec dégoût.

– Quand les gens tombent amoureux, réellement amoureux, c'est comme si on leur enlevait une partie de leur cerveau, a continué Juliette. Non, mais tu as vu ta sœur ? Elle ne sait même pas qu'un SDF dort en bas de chez vous depuis six mois et elle pleure depuis deux jours parce qu'un garçon la repousse…

J'ai haussé les épaules, à moitié convaincu par son argumentation. J'ai été tenté de lui dire qu'aux dernières nouvelles je ne l'avais jamais vue avec un garçon alors qu'on se connaissait depuis des siècles, mais la cloche a sonné et on s'est dépêchés de rentrer dans le collège.

# 3
## *Un futur Goncourt*

Malgré ses tenues bizarres, sa coupe de cheveux improbable et sa voix de fumeuse, Juliette est une machine de guerre.

C'est le genre d'élève capable de faire pleurer de joie n'importe quel enseignant sur terre. Le genre d'élève parfaite, dont les réponses parfaites et les devoirs parfaits, toujours rendus parfaitement à temps, s'accumulent jour après jour, mois après mois, année après année, sur un rythme parfaitement métronomique. Juliette est le big boss de la classe, un modèle, une sorte de perfection inatteignable pour nous tous, pauvres élèves de la sixième C.

En particulier pour moi, qui suis plutôt du style élève pénible, constamment à la traîne, un peu lent à la détente. Pas méchant, non. Pas du genre à causer des ennuis ni à défier l'autorité. Juste mou et un brin feignasse.

Mlle Junon, notre prof de français, nous a annoncé qu'elle avait fait un rêve. Ça lui arrive de temps en temps. Elle est persuadée qu'ils sont prémonitoires. Il y a deux mois, elle a débarqué en nous disant qu'un futur président de la République se cachait parmi nous. On a dû écrire un discours d'investiture et on a voté pour le plus convaincant. C'est Mehdi qui a gagné (ses deux mesures phares étaient le Wi-Fi gratuit et la majorité à quatorze ans). Depuis, il commence la moitié de ses phrases par : « Quand je serai président… » En attendant de pouvoir poser ses valises à l'Élysée, il a été élu délégué de classe, ce qui est un bon début.

« Cette nuit, j'ai rêvé que l'un d'entre vous deviendrait un grand écrivain », nous a révélé Junon avec un large sourire. Sa foi en nous est inébranlable, et je ne peux m'empêcher de trouver ça touchant…

On s'est tous dévisagés, histoire de voir lequel d'entre nous avait le plus la tête de l'emploi. Bien sûr, il y avait Juliette, mais l'Académie française, ce n'était pas assez pour elle. Je la voyais plutôt se poser sur Mars et revenir avec un spécimen martien en laisse, au milieu d'une foule en délire. Géraldine, avec sa grosse monture de lunettes noire et son côté rêveuse, pouvait éventuellement faire l'affaire. Mais, comme elle répétait sans arrêt qu'elle voulait devenir bassiste dans un groupe de rock, ce n'était pas gagné.

– Vous imaginez, a dit Junon, on a peut-être un futur Goncourt dans la classe !

Le doute subsistait méchamment, mais elle était tellement enthousiaste que personne n'avait envie de lui gâcher son plaisir. Elle nous a distribué un petit carnet à spirale en nous demandant d'y noter tout ce qui nous passait par la tête.

– Ce qui vous frappe, vous questionne, vous étonne. Peut-être qu'une idée de roman jaillira, s'est-elle écriée.

Ivan, le garçon qui s'assied toujours à côté de moi, a immédiatement ouvert son carnet. Sur la première page, il a écrit : *Ceci est le carnet d'Ivan.*

Ivan est probablement la personne la plus étrange que j'aie jamais rencontrée. Quand il ne passe pas son temps à fourrer des bouts de gomme dans son nez, il avale des pièces de deux centimes par poignées. Je ne me rappelle pas avoir une seule fois entendu le son de sa voix. Il se contente de me regarder fixement et de me sourire. Un sourire qui dit : «Je sais que la vie est dure, mais ne t'inquiète pas, ça va aller!»

Je l'aime bien.

— C'est un bon début, lui ai-je soufflé.

Il a hoché la tête avec sérieux et a entrepris de se faire les ongles de la main gauche avec du Tipp-Ex.

Junon commençait son cours sur un écrivain qui s'était amusé à écrire un livre entier sans jamais utiliser la lettre « e » (parfaitement le genre de tarés qu'elle adorait), quand quelqu'un a frappé à la porte.

C'était Humbert, notre prof d'éducation physique, un grand chevelu, plutôt sympa dans le style adolescent attardé.

— Excusez-moi de vous déranger, a-t-il bredouillé, j'ai une communication importante à faire à la sixième C.

— Je vous en prie, a répondu Junon en rougissant de la tête aux pieds.

Humbert s'est embarqué dans une explication confuse à propos d'une course interscolaire quelconque en se balançant d'un pied sur l'autre tandis que sa main droite broyait sa main gauche. Pendant ce temps-là, Junon remettait sans arrêt une mèche de cheveux derrière son oreille. On aurait dit deux personnes qui n'osent pas s'inviter à danser.

— Bref, a fait le prof de gym, je vous expliquerai ça en détail demain matin.

Juliette, qui était assise au premier rang, s'est retournée vers moi. Elle a levé les yeux au ciel en faisant tourner son index contre sa tempe. Elle venait de trouver une parfaite illustration de sa théorie.

# 4
## *Premières questions*

En rentrant à la maison, j'ai trouvé ma mère les mains sur les hanches, plantée devant la vieille commode héritée de sa grand-mère. Un meuble énorme, en chêne foncé, qui pesait dans les deux tonnes et dans lequel ma sœur et moi nous cachions souvent quand nous étions petits.

— Tu as passé une bonne journée, mon chéri ? m'a-t-elle demandé sans quitter le meuble des yeux.

— Pas mal. On nous a donné des coups de fouet et puis on nous a pendus par les pieds jusqu'à ce qu'on s'évanouisse.

— Très bien, mon cœur.

— Après, on nous a fait courir autour de la

cour avec des aiguilles plantées sous les ongles des orteils…

— C'est bien, mon amour. Continue comme ça.

— On mange à quelle heure ?

— Dès que j'aurai trouvé la place idéale pour cette satanée commode, Sacha…

— OK.

— Va voir ce que fait ta sœur, elle n'est pas sortie de sa chambre de toute la journée.

Lucie était toujours sous sa couette avec une boîte de mouchoirs, en train d'écouter le même album des Cure pour la millième fois.

— Tu as l'air en forme.

— Je souffre.

— Maman dit que tu es restée au lit toute la journée…

— Et alors ? Donne-moi une bonne raison de sortir de cette chambre !

Je trouvais qu'elle exagérait un peu… J'étais même étonné que mes parents ne la renvoient pas au lycée à grands coups de pied aux fesses.

— Je viens de faire une découverte capitale, Sacha !

— Ah…

— L'amour n'est qu'un mirage, petit frère, a sangloté Lucie. Quand tu penses pouvoir enfin le toucher du bout des doigts, il disparaît comme un nuage de fumée…

Là-dessus, elle s'est mouchée bruyamment, le temps de me laisser prendre la pleine mesure de ses propos.

— Tu sais quand on mange ? m'a-t-elle demandé en se tamponnant les yeux.

— Quand papa sera rentré, j'imagine. Maman est en train de chercher une nouvelle place pour la vieille commode de mamie.

— Tu lui as proposé la déchetterie ? a lancé Lucie en souriant à travers ses larmes.

Je sais que c'est ma sœur et que je ne suis pas très objectif, mais j'ai pensé qu'il fallait être sacrément tordu pour avoir envie de faire du mal à une aussi jolie fille.

— Bon, ai-je dit, j'ai des devoirs…

— Un jour, toi aussi tu auras le cœur brisé,

Sacha. Et ce jour-là, tu comprendras que la vie n'a aucun sens.

Une fois dans ma chambre, je n'ai pas fait mes devoirs.

L'air de rien, les paroles de Juliette me faisaient réfléchir. Junon et Humbert étaient vraiment passés pour des clowns devant toute la classe. Quant à la souffrance de Lucie, elle avait beau être réelle, elle n'en était pas moins ridicule…

Est-ce qu'on pouvait être amoureux sans perdre la boule pour autant ?

Machinalement, j'ai sorti le carnet que nous avait distribué Junon puis, sans trop savoir ce que je faisais, j'ai noté :

*L'amour rend-il toujours stupide ?*

À bien y repenser, il fallait reconnaître que mon expérience en la matière était plutôt limitée. Je me serais arraché les ongles plutôt que de l'avouer à Juliette, mais Cécilia et Héloïse ne rentraient pas tout à fait dans la catégorie «Amour avec un grand A». On s'était contentés de se tenir un peu la main et de se donner quelques smacks sous le préau. Juliette avait raison, ce n'étaient que des amourettes de gamins…

Alors j'ai écrit :

*Comment savoir qu'on est réellement amoureux ?*

## 5

### *Le rouge est une couleur moche*

Le quatrième jour, Lucie a finalement accepté de retourner au lycée. Elle était habillée en noir de la tête aux pieds et n'avait fait aucun effort pour camoufler ses yeux gonflés et le bout de son nez rougi par les hectolitres de larmes versés ces derniers jours. Son visage était blanc, presque translucide. Elle ressemblait à l'un de ces vampires de cinéma qu'elle adore.

– Ce que j'aime chez ta sœur, m'a soufflé Juliette, c'est qu'elle n'en fait jamais trop. Un modèle de sobriété…

Question tenues vestimentaires, on n'était pas au bout de nos surprises.

Junon est arrivée dans un tailleur rouge vif, le chignon serré, ses talons hauts claquant trop fort sur le sol de la classe. Sa bouche et ses yeux étaient tellement maquillés que ça clignotait comme des appels de phares en rase campagne. Pour nous qui avions l'habitude de la voir en jeans, baskets et queue-de-cheval, c'était un choc.

J'ai imaginé Juliette éclater de rire intérieurement. Junon, elle, s'est assise derrière son bureau comme si de rien n'était. Elle a commencé son cours en nous demandant qui avait déjà pris des notes dans son carnet. Tout le monde s'est tourné vers Géraldine, la future bassiste, qui a fait semblant de chercher quelque chose dans son sac. Nuno Frippiat a levé la main.

Nuno est sans doute la personne la plus bête que je connaisse. Son cerveau est un immeuble à l'abandon, un terrain vague, une coquille de noix complètement vide. Un cas totalement désespéré. Juliette prétend que sa mère l'a laissé tomber par terre quand il était bébé, mais elle n'a aucune preuve de ce qu'elle avance.

— Accepterais-tu de nous lire ce que tu as écrit ? lui a demandé Junon, aux anges.

Il a pris une grande inspiration et, tenant son carnet entre le pouce et l'index, il a récité d'une voix solennelle :

*16 h 46, je viens de croiser M. Humbert dans la rue. Il portait un bouquet de roses rouges. Pourquoi les gens achètent toujours des roses rouges alors que c'est la pire couleur du monde ?*

Silence de mort dans la classe. Deux anges passent, celui de la consternation suivi de près par celui de la gêne.

— Hum… Très bien, Nuno, a bredouillé Junon en rougissant. C'est une réflexion intéressante…

Je me suis penché vers Ivan et je lui ai chuchoté :

— Tu vas me prendre pour un dingue, mais je suis quasiment sûr qu'il se passe un truc entre Junon et Humbert.

Il était en train de mâchouiller une cartouche d'encre, si bien que, quand il m'a souri, je me suis retrouvé devant une rangée de dents bleues.

Il a sorti son carnet de sa poche et il a noté :

*En cas de perte, merci de le rapporter à Ivan. Récompense : 1 million de dollars !*

— Pas bête, ai-je reconnu.

Dans le mien, j'ai inscrit :

*Être amoureux, c'est changer de garde-robe ?*

# 6
## *Velours toujours*

— Tu as vu ça, Petit Scarabée ? s'est exclamée Juliette. C'est la phase que j'appelle « la parade de l'amour » !

— Je n'avais jamais vu autant de rouge sur une même personne...

— Pathétique ! Elle se fringue comme un sac pendant des mois et, du jour au lendemain, elle débarque comme si elle allait monter les marches à Cannes !

— Il n'y a pas de mal à vouloir se faire belle... ai-je mollement protesté.

— Parce que avant elle était moche ? Ou pas assez jolie pour plaire à Humbert ? Tu vois, c'est ça le problème : quand tu tombes amoureux, tu n'es plus toi-même… Tu ne montres que les bons côtés et puis, un jour, tu enlèves le masque et tout s'écroule !

Dans le bus, deux élèves de quatrième s'embrassaient à quelques mètres de nous.

– Regarde ces deux-là. Il ne lui a certainement pas dit qu'il ne change de caleçon que tous les deux jours et elle ne lui a sûrement pas avoué qu'elle a les doigts de pied crochus. Pourtant, un jour ou l'autre, ils s'en apercevront et ils se sentiront trahis…

Je savais que Juliette disait surtout ça à cause de ses parents. Ils s'étaient séparés il y a trois ans, quand sa mère avait découvert que son père la trompait. Depuis, Juliette refusait catégoriquement de le voir, malgré tous les efforts que celui-ci faisait pour reprendre contact avec elle.

En rentrant, j'ai trouvé l'appartement sens dessus dessous. Durant une fraction de seconde, j'ai pensé qu'on avait été cambriolés par des gens suffisamment optimistes pour croire qu'ils pourraient revendre des vieux meubles horribles, une chaîne hi-fi qui fonctionnait un jour sur deux et une collection de vinyles de musique classique. Oui, une fraction de seconde, j'ai pensé qu'il existait sur terre des cambrioleurs ayant aussi mauvais goût que mes parents.

Très vite, j'ai remarqué que rien ne manquait mais que tout avait changé de place. Ma mère se tenait au milieu du salon, un plan de l'appartement griffonné au Bic dans une main, un mètre-ruban dans l'autre. L'air extrêmement concentrée, elle fixait tour à tour le canapé, le buffet, la commode et son plan. Je me suis glissé discrètement dans la cuisine dans l'espoir d'y trouver mon père.

Il s'y trouvait, en train d'éplucher des carottes, écoutant distraitement une émission de radio qui sortait d'un petit poste à piles au moins aussi vieux que lui. J'avais parfois l'impression que le temps s'était arrêté pour mes parents. Alors que les élèves de mon collège changeaient de portable tous les deux mois, mon père portait le même manteau en laine bleu marine et le même pantalon de velours côtelé beige depuis ma naissance (les albums photo en témoignaient), et ma mère avait la même coiffure depuis le lycée. Ce qui faisait que, grosso modo, même s'ils vieillissaient, ils avaient toujours la même tête. C'était peut-être pour ça qu'ils étaient toujours amoureux ?

— Vous avez enfin décidé de changer la déco ? ai-je demandé en m'asseyant à la table de la cuisine.

— Ta mère a eu une révélation, il y a quelques jours. Elle veut devenir décoratrice d'intérieur… a-t-il soupiré.

Il y avait de quoi rire. Ou pleurer. J'imaginais la tête des gens, une fois que maman leur aurait refait leur intérieur. Du brun, du beige, du chêne massif et du carrelage caca d'oie dans toutes les pièces.

— Elle ne vit pas très bien le fait d'être au chômage, tu sais… a continué papa en mettant une casserole d'eau sur le feu.

Il a sorti du frigo un rôti qu'il a entrepris de piquer de gousses d'ail grosses comme mon poing. J'allais encore avoir une haleine de chameau demain matin.

— Elle se sent inutile…

Mon père est traducteur finnois-français. Il travaille la plupart du temps à la maison, dans un petit bureau situé à côté de la salle de bains. C'est toujours lui qui s'occupait de nous quand on rentrait de l'école et qui préparait les repas du soir pour toute la famille. Ma mère, elle, bossait comme une dingue. Alors, quand elle a perdu son emploi il y a six mois et qu'elle s'est mise à tourner en rond au bout de quarante-huit heures, il a bien fallu qu'elle se trouve des occupations.

Il y avait d'abord eu la phase art floral. Maman avait rempli la maison de bouquets de fleurs et de montages hideux devant lesquels nous étions tenus, Lucie, papa et moi, d'émettre de longs commentaires admiratifs.

Ensuite, elle s'était lancée dans la fabrication de bijoux artisanaux, période particulièrement douloureuse pour ma sœur puisqu'elle avait été proclamée «mannequin officiel». Lucie devait donc se rendre tous les jours au lycée avec d'affreux colliers de galets, des broches en pâte à sel et d'immondes bagues en tissu. J'y avais plus ou moins échappé jusqu'au jour où elle avait frappé à la porte de ma chambre pour me demander d'accrocher à mon sac un pin's (oui, un pin's !) qu'elle venait de réaliser avec des bouchons de liège…

La dernière lubie en date avait été de s'installer comme psychologue pour chiens, mais elle avait rapidement abandonné par manque de psychologie et de chiens dépressifs dans le quartier.

— Pourquoi elle ne cherche pas un poste de comptable, tout simplement ? j'ai demandé.

— Elle a toujours eu un peu honte de son boulot, a répondu mon père en égouttant les carottes. Elle se dit que c'est peut-être l'occasion de tout recommencer à zéro et de laisser enfin parler sa fibre créatrice…

Il expliquait ça calmement, même si je sentais bien que le côté hyperactif de maman pouvait le fatiguer par moments. Il était tellement tranquille, mon père, comparé aux tornades que déclenchait ma mère chaque fois qu'elle entrait dans une pièce.

Je me suis demandé comment deux personnes aussi différentes étaient parvenues à rester ensemble depuis si longtemps…

— Va mettre la table, on mange dans dix minutes.

La fibre créatrice de ma mère étant passée par là, la table se trouvait désormais dans le couloir.

# 7
## *Haut-bas-fragile*

Depuis quelque temps, j'avais remarqué qu'Ivan écrivait des petits textes dans son carnet. Je le regardais griffonner furieusement, le regard vissé sur sa feuille, se moquant complètement de ce que les profs pouvaient bien raconter. Ça m'intriguait parce que, mis à part les délires de Nuno et quelques week-ends familiaux dépeints avec un souci du détail qui frisait la pathologie, aucun d'entre nous n'avait encore comblé les attentes de Junon. S'il y avait un écrivain dans la classe, on peut dire qu'il se cachait drôlement bien.

Sans se décourager, Junon nous interrogeait à tour de rôle, bien décidée à dénicher la perle rare.

— Et toi, Sacha, tu n'as rien à nous lire ?

Qu'est-ce que je pouvais bien lui répondre ?

Je me posais beaucoup de questions, je consignais méticuleusement les théories de Juliette dans mon carnet, mais rien de tout cela ne ressemblait à une idée de roman.

Je me suis contenté de hausser les épaules en silence.

Je n'avais pas besoin de me ridiculiser devant toute la classe pour savoir que je ne serais jamais écrivain. Je serais autre chose, un truc ou un machin, on verrait bien plus tard.

— Je peux lire ce que tu écris ?

J'ai demandé ça comme ça, par curiosité, et aussi parce que la longue tirade de Junon sur le conditionnel passé m'ennuyait à mourir. J'avais l'impression de me momifier. Ivan a sursauté avant de refermer son carnet d'un coup sec.

— OK, OK, j'ai fait en levant les mains. Je posais juste la question…

J'ai somnolé un moment, jusqu'à la fin du cours. En rangeant mes affaires, j'ai sorti mon carnet et je l'ai tendu à Ivan. Je voulais qu'il sache que j'étais prêt à lui montrer mes notes s'il acceptait de faire pareil. Il a pris le carnet et, dans le couloir qui nous menait au gymnase, il a feuilleté les pages. Tout en marchant, il lisait les sourcils froncés, avec autant d'intérêt que s'il découvrait le récit d'un voyage en Papouasie. Soudain, il s'est arrêté brusquement et m'a rendu mon carnet avec une moue songeuse avant de se diriger d'un pas ferme vers les vestiaires.

Alors que je tentais d'interpréter le silence d'Ivan, Juliette a surgi dans mon dos.

— Tu as vu Junon ? On dirait qu'elle marche à dix centimètres du sol.

J'avais remarqué, oui. Notre professeure de français était d'un naturel joyeux, certes, mais il y avait quelque chose de différent dans son attitude, ces derniers jours. Comme si on lui avait changé les piles.

— Ils ont conclu, a décrété Juliette. Ils viennent de rentrer dans la phase Bisounours. Ils s'aiment, tout est parfait, la vie est un champ de coquelicots.

— Ça a l'air sympa…

— Ne dis pas de bêtises, Petit Scarabée. Plus tu montes haut, plus dure est la chute !

Si ce qu'elle racontait était vrai, j'avais hâte de voir quels changements s'étaient produits chez Humbert.

# 8

## *L'amour est un billet de loterie*

Notre prof de gym n'avait pas échangé son éternel survêtement bleu contre un smoking flambant neuf, ses tennis n'étaient pas plus blanches que d'habitude et son horrible gourmette en or pendait toujours à son poignet comme la chaîne d'un vélo qui a déraillé. Toutefois, si on y regardait de plus près, on remarquait qu'il avait rasé sa barbe de trois jours et que sa tignasse avait été domptée par une raie sur le côté, ce qui lui donnait l'air d'un communiant ou d'un vendeur d'encyclopédies.

Il nous souriait comme un bienheureux en nous annonçant les exercices du jour (pyramide humaine, salto avant et séance de pompes). Un homme qui faisait cette tête-là en vous détaillant par le menu une séance de tortures ne pouvait qu'être complètement sadique ou complètement amoureux.

À la sortie des vestiaires, Ivan m'a attrapé par le bras et m'a emmené dans un coin de la cour, près des vieux casiers en bois que plus personne n'utilise, si ce n'est pour y inscrire des choses au feutre noir sur la vie sexuelle des profs. Il m'a tendu son carnet avec un air grave.

— Je te remercie pour ta confiance, lui ai-je dit sur un ton solennel.

Il a jeté des coups d'œil inquiets autour de lui et m'a fait signe de me dépêcher. J'ai ouvert une page au hasard et je suis tombé sur ça :

*Ô Mademoiselle Junon,*
*Vous sentez tellement bon,*
*Vous êtes ma star,*
*Vos yeux sont des phares,*
*Dans l'obscurité.*

*J'y plonge chaque jour,*
*Comme un cake dans un four.*

Ivan me fixait le plus sérieusement du monde, comme s'il me mettait au défi de me moquer de lui. Sans dire un mot, j'ai lu la page suivante.

*Je connais un type*
*Qui sent le camembert,*
*Il a une tête de slip,*
*Son nom, c'est Humbert.*

Il y en avait cinq ou six dans ce goût-là, célébrant la beauté de Junon ou ridiculisant le prof de gym.

— Donc, ai-je résumé très calmement pour ne pas le vexer, tu es amoureux de la prof de français ?

Ivan a cligné des yeux.

— Mais elle et Humbert…

Je ne savais pas trop comment formuler ça pour ne pas le blesser, alors j'ai rapproché mes deux index pour qu'ils se touchent.

Ivan m'a souri, tristement.

— Eh ben, j'ai fait en lui posant une main sur l'épaule.

Il m'a tapoté doucement la main pour me dire : «Ne t'inquiète pas, mon ami, ça va aller», et il est parti. J'ai sorti mon carnet de ma poche et j'ai inscrit :

*Être amoureux, c'est vouloir une chose qu'on n'aura jamais.*

# 9
## *Vengeance*

Samedi matin, maman nous a annoncé qu'elle comptait repeindre le salon et la salle à manger. Les goûts de mes parents, et ceux de ma mère en particulier, étaient tellement atroces qu'on était en droit de craindre le pire.

— J'hésite entre un bordeaux léger ou un ocre soutenu.

J'ai failli éclater de rire, mais papa m'a donné un coup de pied sous la table.

— Bordeaux, a murmuré Lucie, la couleur du sang…

Cela faisait deux jours qu'elle errait dans l'appartement, les cheveux devant les yeux, marmonnant des choses incompréhensibles. Elle ressemblait à une possédée ou à l'un de ces types hirsutes qui sentent la soupe et qui parlent tout seuls dans la rue. Le nom d'Arthur revenait régulièrement dans sa bouche, prononcé les dents serrées, dans un souffle rauque. Parfois, elle traversait la pièce et claquait rageusement toutes les portes pour s'enfermer dans sa chambre durant des heures. Je me l'imaginais décapitant des poulets au milieu de vapeurs d'encens, se peignant des signes sataniques sur le visage et le torse. Bref, je me disais que ma sœur était en train de devenir complètement frappée.

Toc toc toc…

— Qu'est-ce que tu veux ?

— Rien de spécial, j'ai fait. Juste savoir comment tu vas.

— J'ai l'air d'aller mal ?

Le sol de sa chambre était couvert de vêtements. Des jupes pendaient au plafonnier, un tiroir vomissait des petites culottes, des tops blancs, roses et noirs recouvraient entièrement le lit, comme si sa penderie avait éternué. Au-dessus de son bureau, elle avait punaisé une photo d'Arthur en mode beau gosse (coiffure impeccable, lunettes de soleil sur le front, V de la victoire avec les doigts). Au feutre, Lucie avait inscrit : « Gros con ! »

— Tu as l'air en pleine forme.

Elle m'a fixé droit dans les yeux, évaluant le pourcentage d'ironie contenu dans ma remarque.

— Arthur m'a brisé le cœur et je viens de comprendre que, pour recoller les morceaux, la meilleure colle du monde s'appelle Vengeance !

J'ai toujours pensé que ma sœur n'avait pas la lumière à tous les étages. Pas le genre folle à lier qu'on attache sur un lit d'hôpital, juste suffisamment zinzin pour faire n'importe quoi et le regretter ensuite.

— J'ai bien réfléchi et j'ai trouvé le plan parfait.

— Tu vas l'oublier, passer à autre chose et te concentrer sur le lycée ?

— Mieux ! s'est-elle exclamée. Je vais le reconquérir et, quand il sera bien accro, je vais le jeter comme une merde !

Ah oui, tiens, je n'y aurais pas pensé.

– Arthur Lefebvre va pleurer des larmes de sang, Sacha. Parole de Rodberg!

C'est un truc de papa, ça, «parole de Rodberg»...

Pour que son plan fonctionne, m'a expliqué Lucie, il fallait qu'elle soit au minimum canonissime. Elle avait déjà établi une sélection de jupes tellement courtes qu'on aurait dit des bonnets et se penchait désormais sur le problème épineux du top à bretelles. Fallait-il qu'il tombe lâchement sur l'épaule ou au contraire qu'il soit hypermoulant? J'étais en train de mourir de honte et d'ennui quand son portable a sonné. Ma sœur a décroché en hurlant, ce qui indiquait qu'Alice ou Shannel devait se trouver à l'autre bout de la ligne.

J'ai hésité à lui rappeler qu'on était en plein hiver et qu'il faisait dans les moins quarante, mais ça n'aurait servi à rien. Quand j'ai entendu Lucie prononcer le mot «string», je me suis enfui en courant.

# 10
## *Les robots ont-ils des sentiments ?*

Je me suis réfugié dans la cuisine. Je pensais y
trouver mon père mais il n'y était pas. Je me suis
servi un verre de lait et j'ai sorti mon carnet à
spirale. Depuis que j'avais commencé à prendre
des notes sur Junon et Lucie, je ne le quittais
plus. Je noircissais des pages entières, inscrivant
scrupuleusement mes observations (Humbert
laisse repousser sa barbe), les réflexions de Juliette
(«Ta sœur n'aime personne. Elle aime qu'on
l'aime, ce n'est pas pareil!») et, bien sûr, toutes
ces questions auxquelles je comptais un jour
trouver une réponse.

Si je comprenais bien Lucie, l'amour était

une guerre, un combat dont le but était de sortir vainqueur à tout prix.

J'ai écrit :

*Être amoureux, est-ce vouloir que l'autre soit aussi malheureux que soi ?*

D'un autre côté, je voyais bien que papa faisait tout l'inverse. Il passait sa vie à essayer de faire plaisir à maman !

Mais alors…

*Être amoureux, est-ce vouloir que l'autre soit aussi heureux que soi ?*

Peut-être que je me laissais avoir par ce que Juliette appelait mon « optimisme puéril » ?

Le lendemain était un dimanche pluvieux, un de ces dimanches que j'aurais bien passé devant la télé si on en avait eu une.

Maman, armée d'un pinceau et d'une poignée de tubes de peinture, faisait des essais sur le mur du salon. Un trait, trois pas en arrière, une moue songeuse. À ses pieds, les couleurs qu'elle comptait nous épargner (rouge trop rouge, jaune trop fade, anthracite pas feng shui), sur la table, les teintes sélectionnées pour la grande finale (grège passe-partout, bordeaux sanguinaire, turquoise aveuglant). J'en venais à éprouver de la nostalgie pour le beige poussiéreux qui était au mur depuis que le monde était monde.

Lucie était enfermée dans la salle de bains, en train de se faire les ongles, les jambes, le maillot, la moustache, d'épiler ses sourcils, de décolorer les poils de ses bras et de faire des centaines d'essais de maquillage qu'elle photographiait avec son portable avant de les analyser comme un archéologue devant un fossile de mammouth.

Plus tôt dans la matinée, j'avais pensé appeler Juliette, histoire de confronter discrètement mes observations avec son cynisme à toute épreuve, mais le dimanche était le jour de sa mère.

Comme elle culpabilisait de ne jamais être à la maison (ce qui expliquait en grande partie les tenues et la propreté douteuse de sa fille), la mère de Juliette lui consacrait tous ses dimanches dans l'espoir d'effacer l'ardoise et de ne pas perdre le lien squelettique qui la liait encore à sa fille. Juliette décrivait toujours ces journées comme de longues heures de torture, mais je savais qu'elle n'aurait raté ces moments pour rien au monde.

Errant comme un robot dans l'appartement, je me suis retrouvé sans vraiment le vouloir dans le bureau de papa. Sa table de travail était jonchée de papiers et de livres ouverts. Il travaillait sur le mode d'emploi d'une centrifugeuse, traduction qui l'occupait depuis une bonne semaine.

Je suis resté à côté de lui quelques instants, silencieux, laissant mon regard se promener sur le désordre monstrueux qui envahissait la petite pièce comme du lierre sur une façade. Sans quitter des yeux l'écran de son ordinateur, papa a passé une main dans mes cheveux et j'ai eu l'impression d'avoir de nouveau six ans.

— Tu es préoccupé, fils ?

Je n'ai rien répondu. Il a sauvegardé son document avant de s'étirer bruyamment sur sa chaise. Il s'est tourné vers moi et m'a décoché la combinaison sourire-sourcils froncés, arme secrète de destruction massive de mes silences.

— Je me demandais un truc, ai-je commencé…

— Dis-moi.

— Comment tu as su que tu étais… amoureux de maman ?

Je m'attendais à ce qu'il éclate de rire. Au lieu de ça, il m'a regardé avec inquiétude.

— Je peux savoir pourquoi tu me demandes ça, Sacha ?

— Je ne sais pas, ai-je répondu.

C'était la vérité. Je ne savais pas vraiment pourquoi, mais j'avais besoin de connaître la réponse à cette question.

Papa s'est tu pendant un instant puis il m'a dit :

— Je ne me rappelle plus à quel moment j'ai su que j'étais amoureux d'elle, a-t-il commencé, mais je me rappelle très bien quand j'ai compris que je l'aimais.

Il s'est arrêté pour vérifier que je saisissais bien la nuance. Ce n'était pas le cas.

— Être amoureux est à la portée du premier imbécile, Sacha. Ça arrive des dizaines de fois dans une vie. Regarde ta sœur, elle est capable de tomber amoureuse d'une robe ou d'un téléphone portable. C'est un sentiment puissant mais qui peut s'en aller aussi vite qu'il est venu. L'amour, c'est autre chose, tu comprends ?

— Mmm…

— Si ta mère et moi vivons encore sous le même toit après vingt-quatre ans, si je la supporte toujours malgré le fait qu'elle change de décision toutes les dix secondes et que j'ai parfois l'impression d'être seul à faire en sorte que cette maison tourne rond, c'est parce que je l'aime.

Je commençais à trouver cette discussion légèrement embarrassante…

— Mon avis, fils, c'est qu'on tombe amoureux de quelqu'un pour ses qualités et qu'on l'aime malgré ses défauts.

# 11
## Sainte Kostanza

Le lundi matin, Ivan m'a fait lire en avant-première le nouveau poème qu'il avait écrit pendant le week-end. Il n'y avait plus aucun doute sur ses intentions.

*Ô Junon,*
*Pour toi, je mangerais des chicons,*
*Je sauterais d'un avion,*
*Je changerais les saisons,*
*Amour de ma vie,*
*Oublie cet abruti,*
*Et dis-moi oui !*

Pendant que je lisais, Ivan regardait ses pieds en rougissant. Pour occuper ses mains, il s'était mis à découper des petits bouts de gomme avec ses ciseaux, et à les fourrer un à un dans son nez. Au bout d'un moment, ses narines se sont retrouvées complètement obstruées. Il a commencé à respirer bruyamment par la bouche, ce qui n'a pas du tout plu à Valmont, notre prof d'histoire-géo. C'était un petit homme désagréable, toujours habillé comme s'il revenait d'avoir dansé la valse. Il prétendait que le moindre bruit parasitait ses pensées. Un jour, il avait attrapé une migraine terrible parce que Géraldine avait éternué trop fort.

— Rodberg, emmenez le spécimen qui vous sert de voisin à l'infirmerie avant que ma tête explose !

Tandis qu'on traversait les couloirs silencieux du collège, j'ai repensé à ce que m'avait dit papa.

— Tu ne crois pas que tu en fais un peu trop ? Je veux dire… Tu ne la connais même pas. Si ça se trouve, elle est impossible à vivre, cette femme !

Il a secoué la tête, très sûr de lui.

Ça ressemblait furieusement à de l'amour.

En nous voyant arriver, Mme Kostanza a soupiré. Sans dire un mot, elle a indiqué la grande table en Skaï noir à Ivan et elle s'est mise à la recherche de sa pince à épiler. Mme Kostanza est la personne la plus gentille du bahut. Elle ne pose jamais aucune question. Quand on arrive à l'infirmerie, elle nous coule un regard plein de compassion qui dit : «Vous en avez marre d'être assis toute la journée en classe ? Comme je vous comprends !» Même si on vient pour une minuscule écharde dans le doigt ou une égratignure microscopique sur l'avant-bras, elle nous garde toujours au moins une heure. Une heure qu'elle vole aux professeurs, au proviseur, à l'Éducation nationale, à la Nation, au Système. Une heure durant laquelle personne ne viendra nous demander d'être performant, docile et discipliné. L'infirmerie de Mme Kostanza, c'est une faille spatio-temporelle, une bouffée d'air frais dans un monde sous apnée.

Ivan s'est assis tranquillement sur la table d'observation et il a attendu que la pince à épiler et les doigts de fée de Kostanza libèrent ses narines. L'un et l'autre connaissaient cette opération par cœur. Je me suis installé dans un coin et j'ai feuilleté les vieux albums de Spirou pour la millième fois.

Elle a pris tout son temps et quand elle a eu fini elle est allée nous chercher une sucette. Tous ceux qui passaient par l'infirmerie y avaient droit et je n'avais jamais vu quelqu'un la refuser.

On est repartis tranquillement, Ivan et moi, sans se presser, sans s'inquiéter d'être en retard au cours suivant.

— Il y a un truc qui m'échappe, j'ai dit à Ivan avant d'entrer en classe. Comment tu sais que tu l'aimes si tu ne connais pas ses défauts ?

Ivan m'a regardé comme si le simple fait d'évoquer les défauts de Junon me valait d'être pendu haut et court au milieu du gymnase.

# 12

## *Une chance sur un million*

Après avoir expérimenté les bancs du parc, la balançoire de la plaine de jeu et les grandes marches en pierre bleue de la mairie, Juliette et moi étions convenus que les larges allées pleines de monde de la galerie marchande étaient le meilleur endroit pour faire le point sur nos week-ends pourris respectifs. On se retrouvait là après les cours, nos pas nous y menant sans réfléchir, en pilotage automatique, un soda XXL dans la main droite, nos états d'âme dans la gauche.

— Ma mère m'a acheté une robe blanche sans manches. Le col est en dentelle.

— Ma mère a fait tellement de tests de peinture

que les murs du salon ressemblent à un train de banlieue.

— J'ai dû l'essayer, tourner sur moi-même et subir les compliments faux-culs de la vendeuse.

— Lucie a passé deux jours dans la salle de bains à vouloir se transformer en bimbo de télé-réalité.

— Une robe, Sacha. Une robe blanche, a dit Juliette en s'arrêtant pour me fixer par-dessus sa paille.

— OK, ai-je capitulé. Tu gagnes. Je peux te confier un secret ? j'ai dit en balançant la fin de mon soda dans une poubelle.

— Si c'est un secret, tu ferais peut-être mieux de la fermer, non ? Imagine que j'aille le répé-ter...

— Je ne risque rien, tu n'adresses la parole à personne d'autre que moi, ai-je répondu.

— Touché.

— Ivan est amoureux de Junon.

— Le débile et la nympho, tu parles d'un couple !

— Il n'est pas débile, ai-je protesté. Il me fait

lire des poèmes qu'il écrit pour elle et je dois reconnaître qu'ils sont plutôt bons.

— Elle a genre trente ans de plus que lui, il espère quoi ?

— Je ne sais pas... Ma mère a sept ans de moins que mon père, ça ne veut rien dire.

— Tes parents sont des ovnis, Sacha... Ils sont aussi bizarres l'un que l'autre, ils partagent les mêmes goûts de chiotte et ils sont même restés ensemble après la naissance de ta sœur. Il y avait une chance sur un million pour qu'ils tombent l'un sur l'autre !

— Tu as peut-être raison, j'ai dit.

— Ça arrive une fois toutes les lunes, ce genre de couple, Petit Scarabée. Ne crois pas que tu auras autant de veine.

Une fois de plus, le cynisme de Juliette avait raison de mon «optimisme puéril».

— La plupart du temps, a-t-elle continué, les gens se demandent au bout de deux ans ce qu'ils font ensemble. Ils laissent traîner les choses par paresse pendant encore quelques années puis, un beau jour, sans crier gare, ils décident que leur vie est ailleurs. Alors ils foutent le camp, sans demander leur reste. Peu importe qu'il y ait des gosses ou les traites d'une maison à payer…

On n'a plus rien dit pendant un moment.

— On se casse, a-t-elle décrété. Il y a trop de cons ici.

Juliette a ouvert le frigo et l'a refermé en soupirant. Il était rempli de fruits et légumes frais qu'elle laissait pourrir avec indifférence.

Lorsque sa mère réapparaissait, elle vidait le tout, nettoyait et remplissait à nouveau le réfrigérateur sans dire un mot. Elle savait que sa fille se nourrissait exclusivement de crackers et de pâtes, mais c'était plus fort qu'elle. Sans doute une manière de dire à Juliette qu'absence ne rimait pas forcément avec négligence.

On a fait nos devoirs en vitesse (je me suis contenté de recopier toutes les réponses), ensuite, on s'est vautrés devant la télé.

À l'écran, deux types musclés et tatoués s'insultaient dans une piscine pendant que des filles en mini-bikini bronzaient sur leurs transats.

D'après les sous-titres, Kenzo ne supportait plus la relation que Jazz entretenait secrètement avec Vénus (l'une des filles en bikini).

— Ils sont en mission, abruti, a fait Juliette en bâillant.

Dans la séquence suivante, le fameux Kenzo se retrouvait assis sur un canapé face à une caméra. Il sanglotait tandis que quelques notes de piano soulignaient subtilement la profondeur de ses sentiments.

Je ne comprenais pas tout. Juliette a tenté de me faire un résumé de la situation en concluant que, de toute façon, « ils avaient tous le QI d'un pissenlit ». Sur ce, elle a zappé sur un jeu durant lequel un candidat préparait un repas pour d'autres candidats qui, après avoir vidé leur assiette, prétendaient que c'était tout simplement immangeable.

— Ils sont culottés, j'ai dit pour m'intéresser un peu. Il a quand même cuisiné toute la journée et ils ne l'ont même pas remercié…

Juliette s'est tournée vers moi et m'a regardé en souriant. C'était l'un de ces sourires lumineux qu'elle affichait parfois, sans raison particulière, et qui me prenaient toujours au dépourvu.

— Qu'est-ce que je vais faire de toi, Sacha ?

Elle a posé sa tête sur mon épaule et elle a glissé sa main dans la mienne. Elle était chaude et sèche, et mon cœur s'est mis à battre très fort, sans que je sache pourquoi. Je n'osais plus bouger. Je n'osais même plus avaler ma salive, pétrifié par la sensation de bonheur qui traversait mon corps.

On est restés comme ça durant une dizaine de minutes, puis elle s'est redressée et, sans quitter l'écran des yeux, elle m'a dit :

— Tu ferais mieux de rentrer si tu ne veux pas te faire engueuler par ta folle de mère.

# 13
## *Petits trafics*

En arrivant devant mon immeuble, j'ai tout de suite remarqué la voiture jaune garée à quelques mètres de l'entrée. C'était celle de mon tonton Christophe.

Tonton Christophe est le frère de maman. Depuis que leurs parents sont morts, il y a dix ans, ma mère pense qu'elle est responsable de lui. D'après papa, c'est la raison pour laquelle tonton refuse de devenir un adulte et n'arrête pas de demander de l'argent à sa sœur.

Quand on était petits, Lucie et moi, on l'adorait. Il débarquait souvent à l'improviste avec un tas de bonbons et de gadgets dans ses poches. Il pouvait passer des heures à construire des châteaux avec des conserves ou à fabriquer des animaux avec des allumettes. Puis, un jour, il a commencé à venir à la maison avec des filles, et ça, ça n'a pas beaucoup plu à maman… À partir de ce moment-là, tonton n'a plus tellement joué avec nous. Il s'asseyait dans la cuisine avec un air gêné et expliquait à mes parents que la vie était dure, qu'il ne trouvait pas de travail et qu'il n'arrivait pas à payer le loyer de son appartement. Il grattait nerveusement ses joues mal rasées pendant que la fille assise sur ses genoux l'embrassait dans le cou et passait sa main sous son T-shirt. À la fin, maman finissait toujours par lui glisser quelques billets dans une enveloppe.

J'ai tout de suite senti que quelque chose clochait. Maman faisait la vaisselle (dans un silence de mort) tandis que tonton, assis à sa place habituelle, promenait son regard triste autour de lui. Je lui ai fait un petit signe de la main et il m'a répondu par un clin d'œil. Il avait le cheveu gras, et une terrible odeur de chou émanait de ses vêtements.

— Je t'avais dit de te méfier d'elle, a marmonné maman, qui ne savait pas que j'étais là. Elle t'a pris combien ?

— Tout… a soufflé tonton en m'adressant un petit sourire dépité. Je lui avais donné ma carte bancaire et le code pour faire des courses.

— Ben voyons ! Et j'imagine que tu es allé porter plainte au commissariat ?

— Ce n'est pas une bonne idée…

Ma mère s'est retournée brusquement, et le torchon qui pendait sur son épaule est tombé dans l'eau de vaisselle. Elle a fixé rageusement son frère et elle a dit :

— Je suppose que cette garce est au courant de tes petits trafics ?

Tonton n'a rien répondu. Il a donné un coup de tête dans ma direction et maman s'est arrêtée net. Elle a ouvert la bouche mais aucun son n'est sorti.

— Ce n'est pas pour ça, a dit tonton.

Il a soupiré.

— Je l'aime…

## 14
### *Vingt-quatre images par seconde*

J'ai décidé de m'éclipser en douce.

Je me suis écroulé sur mon lit, les bras en croix, avec l'envie de me laisser avaler tout entier par ma couette. Je ne voulais pas repenser à ce qui venait de se passer chez Juliette. Pourtant, mon cerveau n'arrêtait pas de m'envoyer des flashs de son sourire, de la sensation douce et enveloppante de sa main dans la mienne.

Je n'étais pas stupide, je savais ce qui était en train de se passer… Mais c'était Juliette, ma meilleure amie ! La fille qui s'habillait comme si ses propres vêtements lui voulaient du mal ! Elle était prétentieuse, cynique, détestait tout et tout le monde et me traitait parfois comme le dernier des imbéciles. Je ne pouvais pas tomber amoureux d'une fille pareille… C'étaient toutes ces notes, ces observations dans ce carnet à la noix qui m'embrouillaient la tête.

Je mélangeais tout. Mes questions, mes envies, et je perdais les pédales. « Ressaisis-toi ! » me suis-je ordonné en me mettant des petites claques sur les joues.

C'est à ce moment-là que Lucie est entrée dans ma chambre. Elle ne frappait jamais parce qu'elle estimait qu'à onze ans on n'a rien à cacher. Surtout quand on est un handicapé de l'amour comme moi.

Elle m'a regardé en penchant la tête, comme on regarde quelqu'un qui ne tourne pas rond. Avec regret. Avec pitié.

— Je ne sais pas ce que tu étais en train de faire, mais je ne veux pas le savoir…

— Tu pourrais frapper, j'ai dit, pour changer de sujet.

— Tu as peur que je te surprenne encore en train de jouer avec tes Playmobil ?

— La ferme, j'ai répondu, parce que je savais que ce n'était pas la peine de nier.

— Bon, on s'en fout. Il faut que tu m'aides.

Lucie Rodberg, seize ans, aucun savoir-vivre, parfait exemple d'une éducation ratée…

— Arthur est en train de craquer. Il n'arrête pas de me mater et il a demandé discrètement à Shannel si j'avais un mec en ce moment. Apparemment, j'ai l'air « épanouie »…

— Il connaît vraiment la signification de ce mot ?

— Bref, a dit Lucie en balayant la question, demain, il faut que je sois au top parce que je sens qu'il va attaquer.

— Et qu'est-ce que je viens faire là-dedans, moi ?

Lucie a soupiré.

— La mère de Shannel lui a confisqué son portable parce qu'elle a encore raté son test d'histoire et Alice est en rancard avec un mec qu'elle a rencontré au centre commercial… Il me faut un avis pour ma tenue de demain.

— Pourquoi tu ne demandes pas à maman ?

Le silence qui a suivi était suffisamment lourd de sens.

— D'accord, j'ai dit en levant les yeux au ciel. Tu peux commencer ton défilé…

Ça a duré une heure trente. Montre en main. J'ai fait tout ce que j'ai pu pour ne pas me sentir extrêmement mal à l'aise devant les tenues microscopiques de ma sœur. J'ai même tenté de donner un avis objectif. Heureusement, je me suis vite aperçu que mon avis comptait autant que celui d'un marchand de fleurs dans une base militaire. J'ai donc laissé Lucie faire des allers-retours entre sa chambre et la mienne en attendant que ça se passe. Quand elle a eu enfin terminé, elle a dit : « OK, je pense que cette fois on est bon », et elle a disparu. Pas de « Merci », pas de « Qu'est-ce que je ferais sans toi ». Pourquoi, au fond ?

Je me suis à nouveau écroulé sur mon lit et, avant que je puisse m'en rendre compte, je dormais profondément.

# 15
## *Un ange passe*

En nous voyant arriver à l'arrêt de bus, Juliette a écarquillé les yeux. Ses lèvres ont remué lentement et, de là où je me trouvais, j'ai deviné qu'elle prononçait une série de jurons impliquant Dieu et sa divine descendance.

Marchant à mes côtés, Lucie arborait un sourire satisfait. Elle avait mis une jupe de maman (qu'on aurait dite taillée directement dans les rideaux de grand-mère), un chemisier dont les motifs avaient certainement été dessinés par un aveugle daltonien et un gros gilet en laine vert qui lui descendait jusqu'aux chevilles.

Et elle portait ses lunettes.

— Ta sœur compte rentrer dans les ordres ? m'a demandé Juliette quand on est montés dans le bus.

— C'est plus tordu que ça.

— Raconte !

— Ça ne va pas te plaire, ai-je répondu avec un grand sourire.

La scène a eu lieu pendant le petit déjeuner, dans la chambre de mes parents puisque maman avait « provisoirement » déplacé tous les meubles de la salle à manger dans la cuisine. Assis sur le lit, papa buvait son café en tendant l'oreille vers la radio dans l'espoir inutile d'entendre une bonne nouvelle, ma mère calculait mentalement le nombre de litres de peinture bordeaux dont elle aurait besoin, et moi, je pensais à Juliette. Ou plutôt, j'appréhendais de voir Juliette. J'appréhendais la gêne, le silence qui allait s'installer entre nous à cause de ce drôle de sentiment qui était comme un caillou dans la chaussure de notre chouette amitié. J'avais peur de perdre la sensation confortable d'être avec quelqu'un qui ne me demandait rien d'autre que d'être moi-même.

Et puis Lucie est entrée dans la chambre.

Personne n'a levé la tête, chacun a grommelé son bonjour de sa voix sourde, encore étouffée par le sommeil.

— J'ai cru que je n'arriverais jamais à remettre la main sur mes lunettes.

Maman a poussé un cri. Pas un cri d'effroi, plutôt un cri de surprise. Peut-être même de satisfaction. Papa s'est retourné et il a avalé son café de travers, ce qui l'a fait tousser et a envoyé du café noir sur le couvre-lit. Comme celui-ci est brun, personne ne s'en est ému.

— Lucie, s'est exclamé mon père, je t'interdis de te moquer de ta mère !

— Je ne me moque de personne, s'est défendue Lucie.

— Pourquoi dis-tu ça ? s'est étonnée maman.

— J'ai raté un épisode ? j'ai demandé à mon tour.

Lucie a bu calmement une gorgée de café, a grignoté sa biscotte puis, avec la voix d'un ange qui vient de sauver la planète, elle nous a dit :

— Cette nuit, j'ai compris quelque chose de très important… J'aime sincèrement Arthur.

Elle a insisté sur le «sincèrement», ce qui a provoqué un sourire chez maman, un froncement de sourcils chez papa et une moue suspicieuse de ma part.

— Si c'est l'homme de ma vie, et je pense qu'il l'est, a-t-elle continué en empêchant papa de l'interrompre, il doit m'aimer telle que je suis vraiment et pas telle qu'il voudrait que je sois.

Elle a eu un geste qui l'embrassait tout entière, lunettes et déguisement compris.

— Et ton fameux plan de vengeance ? ai-je demandé.

— Puéril ! a répondu ma sœur en me fusillant du regard. Je n'aurais jamais dû t'écouter.

Sa mauvaise foi, au moins, ne s'était pas envolée cette nuit…

— Si tu veux mon avis, m'a dit Juliette alors qu'on entrait dans la classe de Junon, tout ça, c'est des foutaises.

— Arrête… Admets que, cette fois, ta théorie ne tient plus debout.

— Je connais ta sœur depuis des années, Sacha, et je ne l'ai jamais entendue prononcer la moindre phrase sensée.

— Alors dis-moi comment tu expliques ce que tu as vu ce matin.

— C'est le syndrome de l'enfant adopté.

— Le… quoi ? Lucie n'a pas été adoptée, tu délires complètement !

— Ne te fais pas plus bête que tu ne l'es, Petit Scarabée. Le syndrome de l'enfant adopté, c'est vérifier si les gens qui prétendent t'aimer t'aiment vraiment, même quand tu ne montres que les pires aspects de ta personnalité, m'a expliqué Juliette.

Elle a éclaté de rire avant de conclure :

— Ta sœur est encore plus cinglée que ce que je pensais !

# 16
## *Ivan sort de l'ombre*

Junon avait sa tête des mauvais jours, si bien que toute la classe s'est tue dès qu'elle s'est assise derrière son bureau. Juliette s'est retournée vers moi et ses lèvres ont murmuré : « Le début des emmerdes… » J'ai secoué la tête en souriant.

— Est-ce que l'un d'entre vous désire nous lire quelque chose ? a demandé Junon sans lever les yeux de sa liste de présence.

Entre la schizophrénie de Lucie, les poèmes enflammés d'Ivan et ce qui s'était passé sur le canapé de Juliette, j'avais accumulé des dizaines de pages de notes dans mon carnet. Le problème, c'est que plus j'écrivais, moins je comprenais quoi que ce soit à l'amour. Un jour ça paraissait fantastique, et le lendemain ça ressemblait à un véritable enfer.

Pour couronner le tout, je ne savais même plus ce que je ressentais réellement pour Juliette…

Le bras d'Ivan est apparu subitement dans mon champ de vision. Je me suis tourné vers lui et je me suis aperçu qu'il tenait son carnet ouvert devant lui.

— Ivan… lui ai-je chuchoté, je crois que tu t'apprêtes à faire une énorme bêtise !

Il m'a ignoré, le bras toujours levé, comme s'il comptait décrocher la lune.

— Ivan ? a demandé Junon en levant les yeux de sa liste. Eh bien, hum…, nous t'écoutons.

— Ce n'est pas une bonne idée, ai-je marmonné pour le dissuader.

Ivan s'est raclé la gorge, ce qui a fait sursauter tout le monde.

— C'est un poème d'amour, a-t-il annoncé.

*Quel que soit ton âge,*
*Quelle que soit ma place,*

*Je ne veux plus être sage,*
*Et attendre la fin de la classe.*

*Vivons enfin notre amour,*
*Au grand jour, aux yeux de tous,*
*Embrassons-nous dans la cour,*
*Et allons manger un couscous.*

*C'est ce que je désire,*
*Mais je saurai attendre,*
*Patient, je saurai cueillir*
*Le bon moment pour te prendre.*

Il s'est rassis, satisfait, puis il a sorti son Bic quatre couleurs et s'est mis à le démonter consciencieusement.

La classe était totalement silencieuse, tous les élèves fixant tour à tour Ivan et Junon. La bouche ouverte, Junon semblait chercher quelque chose à dire.

On a vu ses yeux se remplir de larmes. Elle s'est levée brusquement.

— Je suis désolée, a-t-elle murmuré, étouffant

un sanglot dans son poing, avant de sortir de la classe en courant.

— Eh ben, j'ai dit à Ivan, tu sais parler aux femmes, toi !

# 17

## *Chacun son tour*

— Tu te rends compte de ce que tu viens de faire ? j'ai demandé à Ivan tandis qu'on trottait autour de la cour par moins cinq.

Assis sur un banc, Humbert se rongeait les ongles, le regard vitreux, des cernes sous les yeux et les cheveux en bataille. Il avait l'air d'un type qui a dormi tout le week-end sur le canapé.

Ivan, lui, arborait un sourire immense, entre satisfaction ultime et bonheur céleste.

— Déclarer ta flamme à une prof… En public, en plus ! C'est n'importe quoi, Ivan. Elle est avec Humbert, je te rappelle.

Il a hoché le menton en direction du professeur de gym.

— D'accord, il y a sûrement de l'eau dans le gaz, mais ça ne signifie pas que…

Ivan s'est arrêté net. Il m'a pris par les épaules et, d'une voix profonde, il a déclaré :

— Quand tu aimes une femme, Sacha, il faut le lui dire.

— Mais…

— Maintenant, c'est ton tour !

Là-dessus, il est reparti en trottinant. Je suis resté quelques secondes la bouche ouverte, de la buée s'échappant de mes lèvres par petites boules compactes, avant de piquer un sprint pour le rattraper.

— Attends ! Qu'est-ce que tu veux dire par là ?

— Juliette.

— Quoi, Juliette ? ai-je insisté, en me demandant si je ne préférais pas quand Ivan était muet.

— Tu dois lui dire.

Lui dire quoi ? pensais-je alors que j'attendais Juliette à l'arrêt de bus. J'avais le temps de me poser mille fois la question parce que les filles

mettaient toujours un milliard d'années à se rha-
biller après le cours de gym, même Juliette qui
n'avait qu'à enfiler ses vieux vêtements et ses
baskets pourries.

— Pourquoi tu me regardes comme ça ? m'a-
t-elle demandé quand on s'est assis.

Qu'est-ce que je pouvais bien lui répondre ?

Je te regarde parce que j'essaie de comprendre
ce qu'il m'arrive. J'essaie de savoir par quel moyen
mon cerveau tordu a pu me faire penser que je
voulais sortir avec une fille qui ne prend jamais
soin d'elle, qui ne croit en rien et qui me rabaisse
sans cesse. Une personne qui fait semblant de
détester sa mère et d'ignorer son père, qui n'a
jamais l'air d'avoir besoin de qui que ce soit sur
cette terre. Une personne qui montre sans arrêt
les dents pour cacher qu'elle est hypersensible,
qui cache aussi sa beauté derrière des tenues
atroces parce qu'elle a peur qu'on l'aime. C'est
ce que tu es, Juliette, une fille qui a peur qu'on
l'aime. Mais voilà, moi, je crois que je t'aime.

J'ai repensé à tonton Christophe, à son air
triste, à son sourire désolé. Combien de fois

maman l'avait-elle sermonné à propos des filles qu'il fréquentait ? « Ce n'est pas quelqu'un pour toi ! Tu mérites mieux que ça ! » Comme si on choisissait de qui on tombait amoureux…

— Pour rien, ai-je répondu à Juliette. Pour rien.

# 18
## *Livre ouvert et pain perdu*

En entrant dans le hall de mon immeuble, je suis tombé sur Arthur. Il était assis par terre dans le noir.

— Qu'est-ce que tu fais là ? lui ai-je demandé en allumant la lumière.

Il s'est levé péniblement et m'a tendu une main que j'ai ignorée un instant. Comme je suis quelqu'un de bien élevé, je l'ai finalement prise en le regardant bien droit dans les yeux.

— Je suis venu voir Lucie. Personne ne répondait, alors je me suis dit que…

Il s'est interrompu et s'est gratté l'arrière du crâne. Il faisait presque pitié.

— Écoute, petit…

— Sacha.

— Ouais… Sacha. Il faut vraiment que je parle à ta sœur, là. Tu sais quand elle rentre ?

— J'en sais rien, j'ai répondu. Je ne suis pas sa mère.

— OK, je vois, a dit Arthur en regardant le plafond.

— Pourquoi tu veux lui parler ? Tu l'as larguée, non ?

— OK, je vois, a-t-il répété. Je ne vais pas parler de ça avec toi. Tu as quoi ? Onze ans ?

— Onze et demi, ai-je répondu avec l'air de celui qui en a vu d'autres. De toute façon, il n'est pas question que je te fasse rentrer, alors la seule chose qui te reste à faire, c'est d'attendre dans ce hall comme un imbécile.

À la maison, j'ai trouvé papa dans son bureau. Il était assis devant son ordinateur, son casque sur les oreilles, un mode d'emploi de tondeuse électrique en finnois étalé devant lui. Je lui ai doucement tapoté l'épaule. Il s'est retourné en me souriant puis il a ôté son casque, laissant filtrer le son strident d'un saxophone.

— *Live at Birdland* en 1963, m'a-t-il dit en me tendant les écouteurs.

— Non merci.

Depuis des années, mon père essaie de me faire écouter son idole, John Coltrane. À chaque fois, j'ai les oreilles qui saignent.

— Tu as faim ?

J'ai hoché la tête et je suis allé m'asseoir dans la cuisine pendant qu'il me préparait du pain perdu.

— Si j'étais ta mère, je dirais que tu as l'air soucieux, mon fils…

Il a versé deux tranches dans une assiette, les a saupoudrées de cannelle et les a déposées devant moi. J'ai attaqué le plat comme si c'était mon dernier repas sur terre.

— Il se passe des trucs, ai-je dit entre deux bouchées. Rien d'important.

— Ça concerne Juliette ?

Ce qu'il y a d'agaçant avec les parents, c'est qu'ils vous connaissent trop bien. On peut les baratiner, leur cacher toutes les petites choses qu'il vaut mieux qu'ils ignorent. Mais dès que ça devient important, on est tout de suite démasqué…

— Quoi, Juliette ? j'ai dit pour gagner du temps.

Il a soupiré et s'est assis en face de moi.

— Tu as onze ans, Sacha… a-t-il commencé en regardant ses mains. Bon sang, je ne pensais pas que cette discussion viendrait si vite !

Il s'est relevé pour attraper un petit verre de la taille d'un dé à coudre dans l'armoire et la bouteille d'eau-de-vie qu'on ne sortait que pour mamie.

— Juliette et toi, vous passez beaucoup de temps ensemble, non ?

— Hon hon, ai-je répondu en terminant mon assiette.

Je commençais à voir où il voulait en venir mais j'étais curieux de savoir jusqu'où il irait.

— Et vous vous appréciez beaucoup…

— Hum hum, ai-je fait.

— À votre âge… eh bien, heu… à votre âge,

il est normal que vous éprouviez des sentiments l'un pour l'autre, tu vois ?

Bon, là, j'avais pitié.

— Tu crois que Juliette et moi on est ensemble, c'est ça ?

— Je ne sais pas, Sacha. Tout ce que je dis, c'est que, vu les circonstances, votre âge… ce serait normal que vous tombiez amoureux l'un de l'autre.

J'ai chassé une mouche qui venait de se poser sur la table, puis j'ai mouillé mon doigt pour ramasser les grains de sucre sur la nappe en plastique.

— Et si ces sentiments, j'ai demandé sans le regarder, je suis le seul à les éprouver ?

Mon père a souri. Je l'ai senti sans le voir.

— Vous en avez parlé ?

J'ai secoué la tête.

— Tant que tu ne lui auras pas expliqué ce que tu ressens, tu n'en sauras rien.

— Tu n'es pas la première personne à me dire ça aujourd'hui…

On a entendu la porte claquer. Un claquement qui hurlait « Lucie est de retour ». Elle a débarqué dans la cuisine, les joues roses, le sourire aux lèvres, les yeux brillants.

— Salut ! Arthur est là. On va discuter un peu dans ma chambre, alors vous ne nous dérangez pas, OK ?

Papa m'a regardé en secouant la tête et je me suis dit qu'être père de deux adolescents, ça ne devait pas être la joie tous les jours. Il s'est resservi un dé à coudre.

— Est-ce que ça s'arrêtera un jour ?

— Quoi donc ? m'a demandé papa.

— Toutes ces questions que je me pose…

Il a réfléchi quelques secondes, puis il m'a répondu :

— Je ne crois pas… J'espère bien que non, fils.

Ce n'était pas du tout la réponse que j'attendais.

# 19
## *N'importe quoi !*

À travers la cloison qui séparait nos deux chambres, j'entendais Lucie rire aux éclats. J'ai aussi entendu maman rentrer et crier à papa qu'elle venait d'avoir une idée merveilleuse pour redécorer toute la cuisine. En revanche, je n'ai pas entendu mon père soupirer, même si je devinais que c'était probablement ce qu'il avait fait à ce moment-là.

Je suis sorti sur la pointe des pieds. À travers la porte de la chambre de Lucie, on n'entendait plus que la musique à fond. Je me suis dit qu'Arthur avait dû trouver les mots et j'ai pensé que c'était peut-être très bien comme ça. De la cuisine parvenaient la voix de ma mère pleine d'excitation et celle de mon père remplie de tendresse. En passant dans le salon, je les ai vus enlacés, l'un contre l'autre, sur le canapé. Je me suis faufilé jusqu'à la porte d'entrée et j'ai attrapé ma veste.

Dehors, il faisait déjà nuit. Le froid m'a pratiquement plaqué au sol, fouettant mes os comme de la crème fraîche. J'ai marché dans l'obscurité, longeant les murs, le souffle court. Au fur et à mesure que j'approchais de l'appartement de Juliette, mon cœur s'est mis à battre plus fort. Je le sentais cogner dans ma poitrine comme s'il voulait en sortir. Ce n'était pas de la peur. Au contraire, c'était la sensation d'être bientôt libéré d'un poids, de vivre enfin, au lieu de regarder les autres vivre.

À ma grande surprise, c'est la mère de Juliette qui a répondu à l'Interphone. Elle était si souvent absente que j'avais presque oublié qu'elle habitait là… Elle m'a ouvert avec un grand sourire. Elle portait un pantalon de survêtement, ses cheveux étaient rassemblés en chignon sur le haut de son crâne et un tablier de cuisine flambant neuf était noué à sa taille.

— Sacha! s'est-elle exclamée, ça fait un bail!

— Bonsoir, madame, je suis désolé de vous déranger mais...

— Tu ne me déranges pas du tout, andouille! Tu dînes avec nous?

— Euh... non, c'est gentil. Mes parents m'attendent pour passer à table.

— Comme tu veux, m'a-t-elle répondu, visiblement déçue.

J'ignorais si elle était au courant de ce que racontait sa fille au sujet de sa cuisine.

— Juliette est dans sa chambre, m'a-t-elle dit en m'indiquant le chemin que je connaissais par cœur.


J'ai frappé à la porte, deux petits coups qui m'ont paru ridicules à côté de ceux qui résonnaient dans ma cage thoracique.

Juliette était assise à son bureau, en train d'écrire.

— Tu tombes bien, Petit Scarabée, m'a-t-elle

dit sans se retourner. Tu sais ce que je suis en train de faire ?

— Il faudrait qu'on parle de quelque chose, ai-je attaqué d'emblée, de peur de perdre le fil de mes pensées.

— Je suis en train de te faire une liste, a continué Juliette sans m'écouter. Je te fais la liste de toutes les raisons pour lesquelles tu ne dois jamais tomber amoureux de moi, Sacha.

Elle s'est retournée et l'espace d'une seconde, au moment pile où nos regards se sont croisés, j'ai vu de la tristesse dans ses yeux.

Elle s'est levée, sa feuille à la main, et elle est venue se planter devant moi.

— Je sais ce qui te passe par la tête. J'ai vu comment tu me regardes. Tu es en train de tomber amoureux de moi et c'est la plus mauvaise idée que tu aies jamais eue.

Je n'ai rien répondu. Je n'ai pas tenté de nier.

— Et je vais te dire pourquoi c'est une idée merdique : premièrement, tu es mon meilleur ami. Le seul que j'aie jamais eu, en vérité. Si tu tombes amoureux de moi, notre amitié est foutue, *kaput*, poubelle ! Ça, c'est hors de question ! Deuxièmement, on n'est pas du tout faits pour être ensemble. Tu es d'une naïveté agaçante. Tu prêterais de l'argent à un multimillionnaire s'il te le demandait gentiment. Moi, je ne crois en rien, je déteste à peu près tout le monde et je ne tendrais pas la main pour sauver un chaton qui se noie.

Elle exagérait, mais pas tant que ça.

— Troisièmement, regarde-moi ! Je ne fais jamais d'effort pour être belle, je sens la choucroute et mes cheveux ressemblent à du gruyère râpé. Je ne connais pas un mec qui aimerait se balader dans la cour du collège avec une fille comme moi.

Elle avait raison. Elle avait encore et toujours raison.

— Quatrièmement, je n'aime personne et aimer quelqu'un qui n'aime personne est la pire chose au monde, Sacha.

On s'est regardés un instant. Juliette a soupiré en faisant la grimace.

— Tu crois que tu m'aimes parce que tu veux

tomber amoureux de quelqu'un et que tu m'as sous la main.

Je ne savais pas quoi dire.

Alors Juliette s'est penchée vers moi. Elle a pris doucement mon visage entre ses mains et elle a posé ses lèvres sur les miennes. Mes yeux étaient grands ouverts, de sorte que j'ai vu les siens se fermer et ses paupières se contracter, comme si elle luttait pour ne pas les ouvrir. J'ai senti la chaleur entrer dans mon corps et son souffle pénétrer mes narines. J'ai senti mes muscles se détendre un à un, mes jambes vaciller. C'était étrange et merveilleux.

Et puis ça s'est arrêté.

Juliette a scruté ses pieds puis elle m'a dit :

— Tu vois ?

Elle a souri.

— Rien. Nada. Pas le moindre petit courant électrique entre nous, Sacha. Incompatibilité amoureuse totale. Le calme plat.

J'ai souri à mon tour.

— OK, j'ai dit.

— Au moins, comme ça, on est fixés !

Elle a éclaté de rire et je me suis mis à rire avec elle, sans savoir pourquoi.

— Bon, ai-je fait, je vais rentrer avant que mes parents ne crisent.

Juliette a passé sa main dans mes cheveux pour me décoiffer.

— Tu ne veux pas dîner avec nous ? Ma mère prépare une espèce de ragoût de légumes. Il paraît que ça se mange…

J'ai décliné l'invitation et je suis sorti de sa chambre en silence, tandis que son fou rire la reprenait.

— N'importe quoi, répétait-elle, mais vraiment n'importe quoi !

# 20
## *La tache*

Quand j'ai pénétré dans l'appartement, tout le monde était dans la cuisine. Arthur était en train de faire un numéro de charme à ma mère. Penché au-dessus de l'évier, mon père équeutait furieusement des haricots. Même le dos tourné, je pouvais deviner qu'il faisait la tête. Lucie, quant à elle, regardait son ancien ex-petit copain avec les yeux d'un lapin pris dans les phares de l'amour. Apparemment, personne n'avait remarqué mon absence.

— Et quand j'aurai mon bac en poche, je me vois bien tenter l'ENA..., a annoncé Arthur en souriant à ma sœur.

— L'ENA ! s'est écriée ma mère. Mais c'est merveilleux !

— Vous envisagez une carrière politique ? a demandé mon père à ses haricots.

— Je veux simplement servir mon pays, a-t-il répondu en hochant cérémonieusement la tête.

— Tu entends ça, Sacha ? C'est ce qu'on appelle avoir de l'ambition, m'a dit ma mère.

— Ou les dents qui rayent le plancher…, a marmonné papa.

Hormis les sarcasmes de mon père, il régnait une atmosphère particulièrement joyeuse dans cette cuisine, atmosphère à laquelle je me sentais complètement étranger. Il y a deux jours, Lucie voulait voir Arthur se vider de son sang en plein désert mexicain, et voilà que maintenant ils ressemblaient à deux tourtereaux prêts à se marier.

— Votre fils a tout son temps, madame Rodberg, a repris le gendre idéal. En plus, il lui manque encore l'élément le plus important pour faire une grande carrière…

Le futur ministre a tourné son visage vers celui de ma sœur et il a dit :

— Une merveilleuse femme à ses côtés.

— C'est adorable, s'est exclamée ma mère en penchant la tête.

« C'est à vomir », ai-je pensé très fort.

Je suis retourné dans ma chambre avant de recouvrir de bile le visage de mon futur beau-frère.


Je me suis assis par terre, sur la moquette, à l'endroit précis où Juliette avait fait une tache de gelée de groseille, il y a des années. J'ai saisi mon carnet qui traînait sur mon bureau et un stylo.

J'ai écrit :

*C'est l'histoire d'un garçon amoureux d'une fille et d'une fille qui ne veut pas de lui.*

*L'histoire d'un amour qui finit mal.*

*Une histoire qui se termine avant même d'avoir commencé.*

*Une histoire douloureuse et enivrante, compliquée et merveilleuse.*

*C'est une simple histoire d'amour.*


J'ai gratté distraitement la tache de gelée sur

la moquette. J'ai gratté longtemps, jusqu'à ce que mon doigt me fasse mal et que je comprenne que je n'arriverais pas à la faire disparaître. Quand je me suis levé, la tête m'a tourné un peu. J'ai rangé le carnet dans un tiroir de mon bureau, caché au milieu d'une pile de vieux *Science et Vie Junior*. « Si tu crois que lire ce truc va te rendre plus malin ! » m'avait dit un jour Juliette.

Je savais désormais que je n'aurais jamais de réponses à mes questions. Parce qu'il n'y en avait pas. Ou parce qu'il valait mieux ne pas les connaître. Pourtant, moi aussi, je voulais ma part du gâteau. J'étais prêt à souffrir, à perdre la tête, à regarder l'autre comme on scrute son propre reflet dans un miroir déformant, à m'en étonner, à m'en réjouir, à m'en effrayer. Prêt à mettre ma main au feu et à en savourer la brûlure. J'étais prêt.

Dans la cuisine, Arthur racontait ses dernières vacances en Guadeloupe. Lucie et maman l'écoutaient, bouche bée, pendues aux lèvres de ce garçon qui ne doutait décidément de rien.

Papa m'a fait un clin d'œil. J'ai vu sa main glisser sous la table et saisir tendrement celle de maman. J'ai senti sur mes doigts la chaleur piquante de la peau de Juliette contre la mienne. Une sensation qui appartenait déjà au souvenir.

Soudain, j'ai eu terriblement envie de pleurer.

Alors j'ai souri.